Alex Cousseau Charle

Louison Mignon

cherche son chiot

Depuis que sa chienne attend des petits,
je crois que mon papé attrape chaud sous la casquette.
Seul dans son jardin, le voilà qui parle aux légumes.

Je le regarde faire. Il s'accroupit et leur chuchote
des mots que je n'entends pas toujours.
Je crois qu'il leur confie des secrets.

Ou alors il leur dit des gros mots. Souvent les tomates rougissent en écoutant mon papé. Les cornichons, non.

Les cornichons n'ont pas peur des gros mots, tu peux
leur dire des mots de travers, ils ne rougissent jamais.

Moi j'ai déjà essayé de parler à une aubergine, mais ça ne m'a plu qu'à moitié. Je préfère de loin parler avec toi. Avec toi, mon petit chiot.

Je te parle à voix haute (plus haute que les haricots
qui grimpent déjà haut). Je te raconte ma vie.
Tu m'entends d'où tu es ? Tu sais qui je suis ?

Je m'appelle Louison Mignon, j'ai six ans et demi.
Et toi, mon petit chiot, tu n'es pas encore né.
Tu naîtras bientôt. Pour ton nom, j'hésite encore.
Aubergine, peut-être. Ou Banjo.

Ou autre chose, on verra bien. En attendant,
tu dors quelque part et je ne sais même pas
où exactement, c'est un secret.
Tu dors là où il fait encore nuit. Tu dors avant la vie.

Avant la vie, c'est déjà la vie, mais en plus petit.
Aujourd'hui, tu n'es pas beaucoup plus gros
qu'un cornichon, à l'abri dans le ventre de ta maman.
Et ta maman, c'est la chienne de mon papé.

Et la chienne de mon papé a disparu.
Depuis deux jours et deux nuits.
Mais je la trouverai.
Je te trouverai, mon petit chiot...

La forêt est si profonde, toutes les feuilles
de tous les arbres mettent tant de vert partout,
que moi, au milieu de tout ça, j'ai l'air d'une tomate.

Si je ne rougis pas, on ne me voit pas.
Alors je rougis des deux joues.
Tu me vois ?

La chienne de mon papé (ta maman) s'est cachée quelque part.
Pas au fond d'un garage. Ni sous une armoire.
Ni dans le panier à linge, ni derrière la tondeuse (j'ai vérifié).
Non, elle s'est cachée au cœur de la forêt,
là où les arbres respirent mieux.

C'est mon papé qui me l'a dit.
Il a dit c'est souvent comme ça qu'elle fait,
elle disparaît là-bas plusieurs jours
avant de revenir accompagnée de ses petits.

Alors je cherche. Je suis têtue.
Je fouille dans les fougères. Je fonce dans les ronces.

Je cherche la sortie dans les orties.
Ventre à terre. Je rampe. J'ai des crampes.

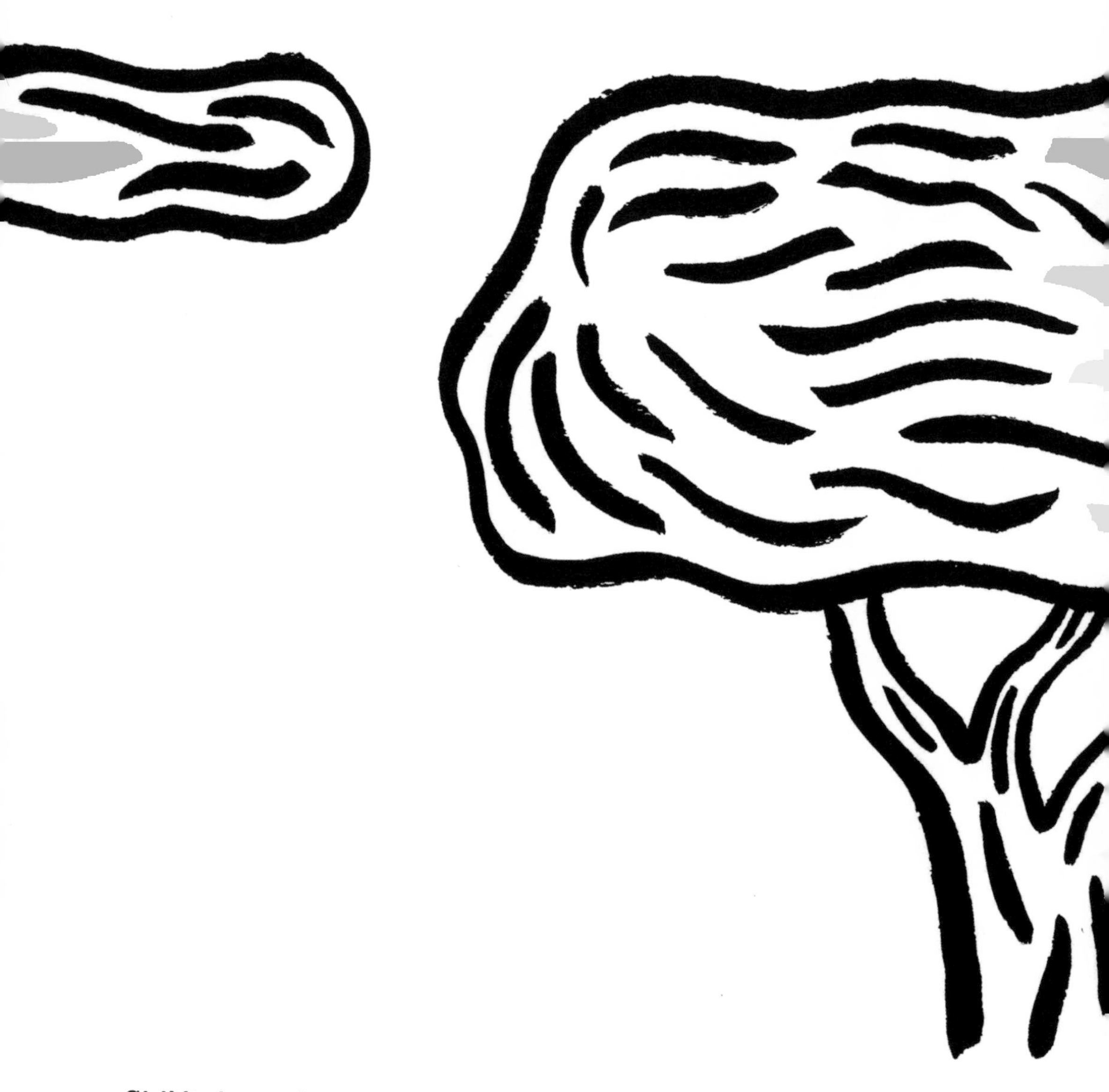

Si j'étais un écureuil ou un oiseau, j'irais plus haut.
Et c'est sûr, je trouverais plus facilement la cachette
de ta maman, mon petit chiot. Peut-être en haut
de l'arbre le plus grand, pas très loin des nuages.

Si j'étais un oiseau, je te trouverais,
toi et ta maman et tes frères, à l'abri dans un nid.
Un chien au creux d'un nid,
avec tous ses chiots, ça doit être rigolo.

Mais je ne suis pas un oiseau. Non.
Je te rappelle que je suis Louison Mignon,
j'ai six ans et demi, et il va bientôt faire nuit.

L’aventure s’arrête là. C’est l’heure de retourner
dans mon nid à moi. Seule. Je rentre seule.
Sans toi, mon petit chiot…

C’est l’heure où mon papé arrête de parler
à ses légumes. Il leur dit chut, et bonne nuit.
Les tomates et les cornichons peuvent s’endormir tranquilles,
mon papé reviendra demain pour les arroser
et leur dire des secrets tout frais.

C'est toujours comme ça.
Quand les secrets sont bien mûrs,
on les cueille et il en vient d'autres.

Moi aussi je reviendrai demain.

Je retournerai dans la géante forêt
pour chercher la cachette secrète de ta maman.

Pour te trouver. Pour te voir naître, mon petit chiot.
Tu ne dois pas être bien loin… À demain… Chut !